Sammlung Luchterhand 925

Über dieses Buch: »Im November 1988 hatten in der Paulskirche auf Einladung des hessischen Fördervereins Deutscher Schriftsteller schon einmal Autoren den Versuch unternommen, Adornos Diktum, ›nach Auschwitz ein Gedicht zu schreiben, ist barbarisch‹, vom kategorischen Verbot zum kategorischen Imperativ, zum Maßstab des Schreibens umzudeuten.

›Schreiben nach Auschwitz‹ hat auch Günter Grass seine Poetik-Vorlesung an der Frankfurter Universität genannt. Daß auch er Argumente dafür sammeln würde, daß dieses Schreiben nur als ein Schreiben im Angesicht von Auschwitz möglich sei, nahm nicht wunder. Doch die Zeiten haben sich in diesem einen Jahr gründlich gewandelt. Daß Günter Grass in dieser Vorlesung entlang seiner eigenen Werkbiographie auch die Geschichte der Nachkriegszeit erzählte, die in diesen Tagen augenscheinlich zu Ende geht, hatte seine bestürzende Logik.« *Frankfurter Rundschau*

Mit seiner Frankfurter Poetik-Vorlesung eröffnete Günter Grass am 25. Februar 1990 in der Deutschen Staatsoper in Ost-Berlin auch die Vortragsreihe »Nachdenken über Deutschland«, die gemeinsam vom Kulturministerium der DDR, dem Verlag der Nation und dem Luchterhand Literaturverlag im Frühjahr 1990 veranstaltet wurde. Christoph Hein stellte Grass in seiner Einführung als den »bekanntesten Unbekannten des anderen deutschen Staates« vor.

Über den Autor: Günter Grass wurde 1927 in Danzig geboren und lebt in Berlin.

Günter Grass

Schreiben nach Auschwitz

Frankfurter Poetik-Vorlesung

Luchterhand
Literaturverlag

Rede, gehalten am 13. Februar 1990 im Rahmen der Stiftungsdozentur Poetik an der Johann Wolfgang Goethe-Universität, Frankfurt am Main.

Originalausgabe
Sammlung Luchterhand, Juni 1990

Umschlagentwurf: Max Bartholl. Umschlagfoto: foto-studio-rama. Satz: Janß, Pfungstadt. Druck: Wagner, Nördlingen. Printed in Germany.
ISBN 3-630-61925-8

1 2 3 4 5 6 95 94 93 92 91 90

Schreiben nach Auschwitz

Ein Schriftsteller, aufgefordert, von sich, also von seiner Arbeit, zu berichten, müßte sich in ironische, alles verkleinernde Distanz verflüchtigen, wollte er jenen Zeitraum meiden, der ihn belastet, geprägt, (bei allem Ortswechsel) zwischen Widersprüchen seßhaft, im Irrtum gefangengehalten und zum Zeugen gemacht hat. Indem ich diesen Vortrag unter den Titel »Schreiben nach Auschwitz« gestellt habe und nun einen Anfang suche, weiß ich, daß mir das Ungenügen vorgeschrieben ist. Mein Thema überfordert. Dennoch sei der Versuch gewagt.

Da ich – eingeladen von einer Universität – besonders zu Studenten spreche, mich also der Aufmerksamkeit oder nur blanken Neugierde einer Generation konfrontiert sehe, die, im Vergleich zu meiner, unter extrem anderen Bedingungen aufgewachsen ist, will ich mich vorerst um Jahrzehnte zurücknehmen und meinen Zustand im Mai 1945 skizzieren.

Als ich siebzehn Jahre zählte und mit hunderttausend anderen in einem amerikanischen Kriegsgefangenenlager unter freiem Himmel in einem Erdloch hauste, war ich, weil ausgehungert, mit gieriger Schläue einzig aufs Überleben bedacht, doch sonst ohne Begriff. Mit Glaubenssätzen dummgehalten und entsprechend auf idealistische Zielsetzungen getrimmt, so hatte das Dritte Reich mich und viele meiner Generation aus seinen Treuegelöbnissen entlassen. »Die

Fahne ist mehr als der Tod«, hieß eine dieser lebensfeindlichen Gewißheiten.

So viel Dummheit resultierte nicht nur aus kriegsbedingt löcherigem Schulwissen – als ich fünfzehn zählte, begann für mich, als Freiheit von Schule mißverstanden, die Luftwaffenhelferzeit –, vielmehr war es eine allgemeine, Klassen- und Religionsunterschiede überwölbende Dummheit, die sich aus deutschem Selbstgefallen nährte. Dessen Glaubenssätze hoben etwa so an: Wir Deutschen sind ... Deutschsein heißt ... und schließlich: Niemals würde ein Deutscher ...

Dieser zuletzt anzitierte Punktumsatz überdauerte sogar die Kapitulation des Großdeutschen Reiches und gewann die vertrotzte Stärke von Unbelehrbarkeit. Denn als ich mit vielen meiner Generation – von unseren Vätern und Müttern sei hier nicht die Rede –, den Ergebnissen von Verbrechen konfrontiert wurde, die Deutsche zu verantworten hatten und die seitdem unter dem Begriff Auschwitz summiert sind, sagte ich: Niemals. Ich sagte mir und anderen, andere sagten sich und mir: Niemals würden Deutsche so etwas tun.

Dieses sich selbst bestätigende Niemals gefiel sich sogar: als standfest. Denn die erdrückende Vielzahl von Fotos, die hier gehäufte Schuhe, dort gehäufte Haare, immer wieder zuhauf liegende Leichen abbildeten und mit unfaßlichen Zahlen und fremdklingenden

Ortsbezeichnungen – Treblinka, Sobibór, Auschwitz – untertitelt waren, hatte, sooft amerikanischer Erziehungwille uns Siebzehn-, Achtzehnjährige zur Ansicht dieser Bilddokumente zwang, nur eines, die ausgesprochene wie unausgesprochene, doch gleichermaßen unbeirrte Antwort zur Folge: Niemals hätten, nie haben Deutsche so etwas getan.

Auch als das Nie oder Niemals (spätestens mit dem Nürnberger Prozeß) zunichte wurde – der ehemalige Reichsjugendführer nannte uns, die Hitlerjugend, frei von Verantwortung –, brauchte es weitere Jahre, bis ich zu begreifen begann: Das wird nicht aufhören, gegenwärtig zu bleiben; unsere Schande wird sich weder verdrängen noch bewältigen lassen; die zwingende Gegenständlichkeit dieser Fotos – die Schuhe, die Brillen, Haare, die Leichen – verweigert sich der Abstraktion; Auschwitz wird, obgleich umdrängt von erklärenden Wörtern, nie zu begreifen sein.

Soviel Zeit seitdem vergangen ist, bei aller Beflissenheit einiger Historiker, Vergleichbares herbeizuzitieren, um einer, wie man sagt, unglücklichen Phase deutscher Geschichte historischen Stellenwert zu unterschieben, was immer auch eingestanden, beklagt, sonstwie aus Schuldbewußtsein gesagt wird – so auch in dieser Rede –, das Ungeheure, auf den Namen Auschwitz gebracht, ist, weil eben nicht vergleichbar, weil durch nichts historisch zu unterfüttern, weil keinem Schuldgeständnis zugänglich, unfaßbar geblieben und dergestalt zur Zäsur geworden, daß es naheliegt, die Menschheitsgeschichte und unseren Begriff von menschlicher Existenz mit Ereignissen zu datieren, die vor und nach Auschwitz geschehen sind.

Um so beharrlicher stellt sich dem Schriftsteller im Rückblick die Frage: Wie war es möglich, überhaupt möglich, dennoch möglich, nach Auschwitz zu schreiben? Wurde diese Frage nur gestellt, um dem Ritual der Betroffenheit zu genügen? Waren die quälenden Selbstbefragungen der fünfziger und frühen sechziger Jahre etwa nur rhetorische Übungen? Und: Kann diese Frage gegenwärtig von Gewicht sein, zu einer Zeit, in der Literatur allenfalls durch die neuen Medien grundsätzlich in Frage gestellt wird?

Zurück zum dummen, zum unbeirrbaren Halbwüchsigen. So dumm, so unbeirrbar war er nun auch wieder nicht. Schließlich hatte es, bei aller Kürze abgesessener Schulzeit, einige Lehrer gegeben, die, mehr verstohlen als offen, ästhetische Maßstäbe und weites Kunstverständnis erkennen ließen. Etwa jene als Lehrerin kriegsdienstverpflichtete Bildhauerin, die dem immerfort zeichnenden Schüler Ausstellungskataloge der zwanziger Jahre zuschob. Ein Risiko eingehend, hat sie mich mit dem Werk der Künstler Kirchner, Lehmbruck, Nolde, Beckmann entsetzt und gleichwohl infiziert.

Daran hielt ich mich. Oder das ließ mich nicht los. Angesichts dieser bildnerischen Provokationen hörte die Unbeirrbarkeit des Hitlerjungen auf; nein, sie hörte nicht auf, durchlässig wurde sie an einer einzigen Stelle, hinter der sich andere, egozentrische Unbeirrbarkeit auszuwachsen begann: die dumpfe und ungenaue, dennoch beharrlich zugespitzte Verstiegenheit, Künstler werden zu wollen.

Seit meinem zwölften Lebensjahr war ich davon nicht abzulenken, weder durch väterliche Berufsvorstellungen soliderer Art, noch durch spätere Ungunst der Zeit: überall Trümmer und nichts zu essen. Diese jugendliche Besessenheit blieb vital, überlebte unbeschadet, das heißt wiederum unbeirrt, das Kriegsende, entsprechend die ersten Nachkriegsjahre und auch die ringsum alles verändernde Währungsreform.

Und so fiel die Berufsentscheidung aus. Nach der Steinmetz- und Steinbildhauerlehre wurde ich Bildhauerschüler zuerst der Kunstakademie Düsseldorf, später der Hochschule für Bildende Künste Berlin. Doch diese autobiographischen Daten sagen nur wenig, allenfalls, daß der Wunsch, Künstler werden zu wollen, eine, wenn man will, bewundernswerte, ich meine nachträglich, fragwürdige Geradlinigkeit verrät: gewiß nicht fragwürdig, weil sie so schnurstracks an den Bedenken der Eltern vorbei verlief, bewundernswert vielleicht, weil sie ohne materielle Absicherung

einfach gewagt wurde; aber fragwürdig doch und am Ende gar nicht bewundernswert, weil sich meine künstlerische Entwicklung, die bald übers Gedicht zur Schriftstellerei führte, schon wieder unbeirrbar vollzog, unbeirrbar auch durch Auschwitz.
Nein, dieser Weg wurde nicht unwissend eingeschlagen, denn mittlerweile lag ja aller Schrecken offen zutage; dennoch führte er blindlings und dabei zielstrebig an Auschwitz vorbei. Schließlich gab es in Überfülle Orientierungen anderer Art. Nicht solche, die hemmten und den Schritt zögern ließen. Zuvor nie gehörte Autorennamen lockten, ergriffen Besitz: Döblin, Dos Passos, Trakl, Apollinaire. Die Kunstausstellungen jener Jahre waren keine durchgestylten Selbstinszenierungen berufsmäßiger Ausstellungsmacher, vielmehr eröffneten sie unverstellt neue Welten: Henry Moore oder Chagall in Düsseldorf, Picasso in Hamburg. Und Reisen wurden möglich: per Autostopp nach Italien, nicht nur, um die Etrusker, sondern auch karge, erdtonige Bilder von Morandi zu sehen.
Indem die Trümmer mehr und mehr aus dem Blickfeld gerieten, war es, obgleich ringsum schon wieder nach altem Muster gewebt wurde, eine Zeit des Aufbruchs und freilich auch der Illusion, man könne auf alten Fundamenten Neues gestalten.
Übergangslos las ich Buch für Buch in mich hinein. Bildsüchtig nahm ich Bilder und Bildfolgen auf, ohne

Plan, einzig auf die Kunst und ihre Mittel fixiert. Als gebranntem Kind reichte es mir, mehr aus Instinkt als mit Argumenten, gegen den ersten Bundeskanzler Konrad Adenauer, gegen den neureichen Mumpitz des beginnenden Wirtschaftswunders, gegen die christlich verheuchelte Restauration, natürlich gegen die Wiederbewaffnung, selbstverständlich gegen Adenauers Staatssekretär Globke, seinen Stasi-Spezialisten Gehlen und weitere Schweinereien des rheinischen Großpolitikers zu sein.

Ich erinnere Ostermärsche, bewegt vom Protest gegen die Atombombe. Immer dabei und dagegen. Das vertrotzte Entsetzen des Siebzehnjährigen, der nicht glauben wollte, hatte sich verflüchtigt und einer prinzipiellen Antihaltung Platz gemacht. Zwar war das Ausmaß des Völkermordes mittlerweile in Dokumentationsbänden greifbar; zwar hatte sich der angelernte Antisemitismus zum angelernten Philosemitismus ummünzen lassen; zwar verstand man sich selbstredend und ohne Risiko als Antifaschist, aber für grundsätzliche Bedenken, diktiert in alttestamentarischer Strenge, Bedenken dieser Art: Kann man nach Auschwitz Kunst machen? Darf man nach Auschwitz Gedichte schreiben? – für eben dieses Bedenken nahmen sich viele meiner Generation, nahm ich mir keine Zeit.

Gewiß, es gab diesen Adorno-Satz »... Nach Auschwitz ein Gedicht zu schreiben, ist barbarisch, und das frißt auch die Erkenntnis an, warum es unmöglich ward, heute Gedichte zu schreiben.«, und seit 1951 lag Adornos Buch »Minima Moralia« – »Reflexionen aus dem beschädigten Leben« vor, in dem meines Wissens zum ersten Mal Auschwitz als Zäsur und unheilbarer Bruch der Zivilisationsgeschichte begriffen wird; doch wurde dieser neue kategorische Imperativ prompt als Verbotstafel mißverstanden. Stand doch solch strenges Diktum dem aufbruchlüsternen und wie unbeschädigten Zukunftsglauben im Wege, unbequem wie jeder kategorische Imperativ, abweisend durch abstrakte Strenge und leicht zu umgehen wie jede Verbotstafel.

Bevor man sich Zeit nahm, Adornos herausgepflückte Zuspitzungen im Umfeld ihrer vor- und nachgestellten Reflexionen zu entdecken, sie also nicht als Verbot, sondern als Maßstab zu begreifen, stand ausgesprochen wie unausgesprochen die Abwehr festgefügt. Dem verkürzten Adorno-Satz, demzufolge nach Auschwitz kein Gedicht mehr geschrieben werden dürfe, wurde genauso verkürzt und besinnungslos geantwortet, als hätte jemand Feinde zum Schlagabtausch aufgerufen: barbarisch sei dieses Verbot, es überfordere den Menschen, sei im Grunde unmenschlich; schließlich gehe das Leben weiter, wie beschädigt auch immer.

Auch meine Reaktionen, die auf Unkenntnis fußten, das heißt, auf bloßem Hörensagen, bestanden auf Abwehr. Da ich mich im Vollbesitz meiner Talente wähnte und mich entsprechend als Alleinbesitzer dieser Talente sah, wollte ich sie ausleben, unter Beweis stellen. Geradezu widernatürlich kam mir Adornos Gebot als Verbot vor; als hätte sich jemand gottväterlich angemaßt, den Vögeln das Singen zu verbieten.
War es abermals Trotz oder mittlerweile chronische Unbeirrbarkeit, die nach erstem flüchtigen Hinhören sogleich die Sperre ins Schloß fallen ließ? Wußte ich nicht aus eigener Erfahrung, was mich entsetzt hatte und als Entsetzen nun nicht aufhören wollte? Was hinderte mich – und sei es auf Zeit nur –, das Bildhauerwerkzeug beiseite zu legen und auch der lyrischen Phantasie, meinem gefräßigen Kostgänger, eine Fastenzeit aufzuerlegen?
Heute vermute ich: die Irritation muß größer oder zeitverschoben nachhaltiger gewesen sein, als ich mir damals eingestehen konnte. Etwas war angestoßen und – wenn auch gegen Widerstände – in Zucht genommen worden; jene als grenzenlos empfundene Freiheit, die keine erkämpfte, die eine geschenkte war, stand unter Aufsicht.
Indem ich bei mir nachblättere, um dem offenbar einzig von Kunst besessenen Kunstschüler auf die Schliche zu kommen, finde ich ein in jenen Jahren entstan-

denes Gedicht, das in letzter Fassung 1960 in dem Band »Gleisdreieck« veröffentlicht wurde, doch eigentlich in meinem ersten veröffentlichten Buch unter dem Titel »Die Vorzüge der Windhühner« hätte stehen müssen. Es heißt »Askese«, ist, wie auf Anhieb, ein programmatisches Gedicht und schlägt den für mich bis heute bestimmenden Grundwert Grau an:

ASKESE

Die Katze spricht.
Was spricht die Katze denn?
Du sollst mit einem spitzen Blei
die Bräute und den Schnee schattieren,
du sollst die graue Farbe lieben,
unter bewölktem Himmel sein.

Die Katze spricht.
Was spricht die Katze denn?
Du sollst dich mit dem Abendblatt,
in Sacktuch wie Kartoffeln kleiden
und diesen Anzug immer wieder wenden
und nie in neuem Anzug sein.

Die Katze spricht.
Was spricht die Katze denn?
Du solltest die Marine streichen,
die Kirschen, Mohn und Nasenbluten,

auch jene Fahne sollst du streichen
und Asche auf Geranien streun.

Du sollst, so spricht die Katze weiter,
nur noch von Nieren, Milz und Leber,
von atemloser saurer Lunge,
vom Seich der Nieren, ungewässert,
von alter Milz und zäher Leber,
aus grauem Topf: so sollst du leben.

Und an die Wand, wo früher pausenlos
das grüne Bild das Grüne wiederkäute,
sollst du mit deinem spitzen Blei
Askese schreiben, schreib: Askese.
So spricht die Katze: Schreib Askese.

Nun wurden Ihnen diese fünf Strophen nicht vorgetragen, um dem Hauptvergnügen der Germanisten, also der Interpretation Nahrung zu geben, doch glaube ich, daß, vor anderen Texten, das Gedicht »Askese« eine indirekte Antwort auf Adornos Gebotstafel ausspricht, indem es als metaphorisch umschriebener Reflex in eigener Sache Grenzen setzt. Denn wenn ich auch mit vielen anderen Adornos Gebot als Verbot mißverstanden hatte, blieb dessen neue, die Zäsur markierende Gesetzestafel dennoch in jeder Blickrichtung sichtbar.
Wir alle, die damals jungen Lyriker der fünfziger Jah-

re – ich nenne Peter Rühmkorf, Hans Magnus Enzensberger, auch Ingeborg Bachmann –, waren uns deutlich bis verschwommen bewußt, daß wir zwar nicht als Täter, doch im Lager der Täter zur Auschwitz-Generation gehörten, daß also unserer Biographie, inmitten der üblichen Daten, das Datum der Wannsee-Konferenz eingeschrieben war; aber auch soviel war uns gewiß, daß das Adorno-Gebot – wenn überhaupt – nur schreibend zu widerlegen war.
Doch wie? Bei wem lernend: bei Brecht, Benn, bei den Frühexpressionisten? Auf welcher Tradition fußend und zwischen welche Kriterien gestellt? Sobald ich mich als lyrisches Jungtalent neben den Jungtalenten Enzensberger und Rühmkorf sehe, fällt mir auf, daß unsere Vorgaben – und Talent ist nichts als Vorgabe – spielerisch, artistisch, kunstverliebt bis ins Künstliche waren und sich wahrscheinlich kaum der Rede wert ausgelebt hätten, wären ihnen nicht rechtzeitig Bleigewichte verordnet worden. Eines dieser Gewichte, das auch dann noch lastete, wenn man es als Gepäck ausschlug, war Theodor W. Adornos Gebot. Seiner Gesetzestafel entlehnte ich meine Vorschrift. Und diese Vorschrift verlangte Verzicht auf reine Farbe; sie schrieb das Grau und dessen unendliche Abstufungen vor.
Es galt, den absoluten Größen, dem ideologischen Weiß oder Schwarz abzuschwören, dem Glauben Platzverweis zu erteilen und nur noch auf Zweifel zu

setzen, der alles und selbst den Regenbogen graustichig werden ließ. Und obendrein verlangte dieses Gebot Reichtum neuer Art: mit den Mitteln beschädigter Sprache sollte die erbärmliche Schönheit aller erkennbaren Graustufungen gefeiert werden. Das hieß, jene Fahne zu streichen und Asche auf Geranien zu streuen. Das hieß, mit spitzem Blei, der von Natur her für Grauwerte steht, quer über jene Wand, »wo früher pausenlos / das grüne Bild das Grüne wiederkäute«, als mein Gebot das Wort Askese zu schreiben.

Also raus aus der blaustichigen Innerlichkeit. Weg mit den sich blumig plusternden Genitivmetaphern, Verzicht auf angerilkte Irgendwie-Stimmungen und den gepflegten literarischen Kammerton. Askese, das hieß Mißtrauen allem Klingklang gegenüber, jenen lyrischen Zeitlosigkeiten der Naturmystiker, die in den fünfziger Jahren ihre Kleingärten bestellten und – gereimt wie ungereimt – den Schullesebüchern zu wertneutraler Sinngebung verhalfen. Askese hieß aber auch, seinen Standort zu bestimmen. Hier etwa datiert sich als Parteinahme, während des damals virulenten Streits zwischen Sartre und Camus, meine Entscheidung für Sysiphos, den glücklichen Steinewälzer.

Anfang 1953 wechselte ich Ort und Lehrer. Keine große Sache: weg von Düsseldorf, der Hauptstadt des ausbrechenden Wirtschaftswunders, hin nach Berlin mit dem Interzonenzug. Ein Wust Gedichte, die Stein-

metzeisen, das Hemd zum Wechseln, wenige Bücher und Schallplatten: mein Gepäck.
Berlin, dieser kaputte, schon wieder von Ideologien besetzte Ort, der von Krise zu Krise auflebte, erstreckte sich flach zwischen Trümmerbergen. Leergeräumte Plätze, auf denen der Wind ständig Tüten drehte. Immerfort Ziegelsplitt zwischen den Zähnen. Streit über alles. Streit zwischen gegenständlicher und gegenstandsloser Kunst: hier Hofer, dort Grohmann. Hüben und drüben: hier Benn, dort Brecht. Kalter Krieg mittels Lautsprecheranlagen. Und doch war das Berlin jener Jahre – bei allem Geschrei – ein totenstiller Ort. Hier hatte die Zeit sich nicht beschleunigen lassen. Noch war das »beschädigte Leben« offenkundige Realität und von keinen Billigangeboten verstellt. Hier fand sich kaum Platz für koketten Umgang mit dem Unsäglichen. In Berlin bekamen meine letzten epigonalen Fingerübungen einen harten Radiergummi zu spüren: hier wollten die Dinge benannt werden.
In rascher Folge entstanden, abseits von Modellierbock und Zeichenbrett, die ersten selbständigen Gedichte, Verse, die sozusagen freihändig und ohne Netz turnten. Aber auch Dialoge, knappe Einakter schrieb ich, etwa jenen, der später das Schlußstück in einem Spiel in vier Akten unter dem Titel »Onkel, Onkel« wurde und so beginnt:

Am Rande der Stadt. Eine verlassene Baustelle. Bollin steht zwischen Kieshaufen und Gerüstbrettern auf einem Mörteleimer. Er schaut wartend zur Stadt. (Zwei Kinder) Sprotte und Jannemann nähern sich langsam.

SPROTTE Onkel?
JANNEMANN Onkel, haste nich'n Ding?
SPROTTE Ja, Onkel, geb ihm doch.
JANNEMANN Haste nich, nur eins?
SPROTTE Du, Onkel?
JANNEMANN Hörste nich?
BOLLIN Nein!
JANNEMANN Nur eins, Onkel?
BOLLIN Gibt nix.
SPROTTE Guck doch mal nach, vleicht haste doch.
BOLLIN Was denn, was denn!
SPROTTE Na'n Ding!
BOLLIN Was für'n Ding denn?
SPROTTE Irgend so eins, ganz egal, was.
JANNEMANN Weißte denn nicht, was'n Ding is?
SPROTTE Hat doch jeder.
JANNEMANN Du auch, bestimmt …

Und drei Jahre später, im Frühjahr 1956 – noch bin ich Bildhauerschüler bei Karl Hartung –, erscheint mit Gedichten und Zeichnungen mein erstes Buch, in dem Vierzeiler wie dieser stehen:

GASAG

In unserer Vorstadt
sitzt eine Kröte auf dem Gasometer.
Sie atmet ein und aus,
damit wir kochen können.

Heute, vor mein Thema gestellt, frage ich mich: Ist das ein Gedicht, sind das Theaterdialoge, die nach Auschwitz geschrieben werden durften? Hat das Askese-Gebot zwangsläufig nur diese Ausformung von Magersucht zur Folge haben können? Achtundzwanzig Jahre war ich mittlerweile alt, aber mehr oder anderes war mir vorerst nicht möglich.

Und Gedichte und Einakter dieser Art las ich auf den Tagungen der »Gruppe 47« vor, die mich, den Anfänger, in Gestalt von Hans Werner Richter, ab Herbst 55 regelmäßig einlud. Viele Texte, die dort gelesen wurden, waren direkter als meine. Einige sprachen sich, wie im Nachholverfahren, eindeutig, das heißt, mit Hilfe positiver Helden, gegen den Nationalsozialismus aus. Diese Eindeutigkeit machte mich mißtrauisch. Mutete solch nachgeholter Antifaschismus nicht wie Pflichtübung an, anpasserisch in einer Zeit, die auf Anpassung abonniert war, verlogen also und geradezu obszön, gemessen am zwar ohnmächtig geringen, aber in Spuren doch nach-

weisbaren Widerstand gegen den Nationalsozialismus?
Diese ersten Erfahrungen mit der Literatur und ihrem Betrieb warfen mich zurück. Ich war wieder siebzehn. Kriegsende. Die bedingungslose Kapitulation. Gefangenschaft in Erdlöchern. Fotos, die Brillen-, Schuh-, Knochenberge vorzeigten. Vertrotztes Nichtglauben-wollen. Und weiter zurückgezählt: fünfzehn, vierzehn, dreizehn Jahre alt. Lagerfeuer, Fahnenappelle, Kleinkaliberschießen. Von Ferien unterbrochenes Schulallerlei, während sich wirkliches Geschehen in Sondermeldungen aussprach. Gewiß: schülerhafte Aufsässigkeit. Langeweile beim HJ-Dienst. Blöde Witze über Parteibonzen, die sich vorm Frontdienst drückten und abfällig »Goldfasane« genannt wurden. – Aber Widerstand? Nicht die Spur, kein Ansatz, und sei es auch nur in Gedankenfetzen. Eher Bewunderung für militärische Helden und anhaltend dumpfe, durch nichts zu irritierende Gläubigkeit, beschämend bis heute.
Wie hätte ich zehn Jahre später Widerstand zu Papier bringen, mir Antifaschismus andichten können, wenn doch »Schreiben nach Auschwitz« Scham, auf jedem weißen Blatt Scham zur Voraussetzung hatte? Eher stellte sich aus der Gegenwart der fünfziger Jahre die Frage nach Widerspruch gegen neuerdings falsche Töne, gegen die allerorts blühende Fassadenkunst,

gegen die satte Versammlung zwinkernder Biedermänner: hatten die einen nichts gewußt, nichts geahnt und spielten sich nun als von Dämonen verführte Kinder auf, waren die anderen schon immer, wenn nicht lauthals, dann doch insgeheim dagegen gewesen.

Ein Jahrzehnt, das auf Lügen fußte, die noch heute ihren Kurswert halten, aber auch ein Jahrzehnt der grundlegenden Entscheidungen. Wiederbewaffnung, Deutschlandvertrag heißen die Stichworte. Zwei deutsche Staaten entstanden Zug um Zug, jeder beflissen, Musterschüler des einen, des anderen Blocksystems zu sein, und glücklich über den günstigen Umstand, sich hier wie dort den Siegermächten dazuzählen zu dürfen. Zwar geteilt, doch geeint in der Übereinkunft, nochmal davongekommen zu sein.

Und doch gab es einen Störfaktor, der nicht ins Bild dieser feindseligen Zweisamkeit passen wollte. Am 16. und 17. Juni 1953 waren in Ostberlin und in Leipzig, in Halle, Bitterfeld und Magdeburg die Arbeiter unterwegs. Ihnen gehörte die Straße, bis die sowjetischen Panzer kamen. Ein Streik auf der Stalinallee – im März zuvor war Stalin gestorben – wuchs sich zum Aufstand aus, der traurig führungslos verlief und einzig von Arbeitern getragen wurde. Keine Intellektuellen, keine Studenten, keine Bürger und keine Kirchenoberen schlossen sich an, einzig wenige Volkspolizisten, die später standrechtlich erschossen wurden.

Und dennoch ist dieser deutsche Arbeiteraufstand, dem Albert Camus von Paris aus Respekt erwies, drüben zur Konterrevolution, hier, mit des Lügners Adenauer Worten, zum Volksaufstand verfälscht und als Feiertag vernutzt worden.
Ich habe zugesehen. Vom Potsdamer Platz aus sah ich Panzer und Menschen gegeneinandergestellt. Ein Jahrzehnt später schrieb der Augenzeuge jener lapidar totalen Konfrontation in komplexer Form ein deutsches Trauerspiel: »Die Plebejer proben den Aufstand«. Komplex, weil dem Stück Shakespeares »Coriolanus« und Brechts Coriolan-Bearbeitung sowie dessen Verhalten zum 17. Juni unterlegt sind. Komplex aber auch, weil die Realität der Straße – jener führungslose Arbeiteraufstand – der Realität einer Theaterprobe widerspricht, die sich die Verbesserung des revolutionären Bewußtseins, insbesondere der Arbeiterklasse zur Aufgabe gemacht hat. Und obendrein komplex, weil der Chef dieses Theaters, auf dessen Bühne das Trauerspiel stattfindet, nie eindeutig ist oder sein kann. Denn als er sich gegen Ende des letzten Aktes doch noch entschließt, an den Ersten Sekretär des Zentralkomitees – dazumal Walter Ulbricht – einen Protestbrief zu schreiben, widersprechen ihm eine Schauspielerin, Volumnia genannt, und sein Chefdramaturg Erwin.

VOLUMNIA *nimmt ihm das Blatt ab* Warum laut verlesen, was leisetreterisch daherkommt! In drei Absätzen hast du dich kurzgefaßt. Die beiden ersten geben sich kritisch und bezeichnen die Maßnahmen der Regierung und also der Partei als voreilig. Und im letzten ist es dir ein Bedürfnis, Verbundenheit mit allen zuvor Kritisierten auszudrücken. Warum nicht gleich mit (dem Parteidichter) Kosanke in einer Linie? Denn die kritischen Absätze wird man dir streichen, nur die Verbundenheit wird man ausposaunen und dich bis Ultimo beschämen.

CHEF Hier, unter dem Original entstand die Kopie. Gesegnet sei das Kohlepapier.

ERWIN So etwas lagert in Archiven, gerät unter Verschluß, wird dem unveröffentlichten Nachlaß zugeschlagen und kommt zu spät an den Tag.

VOLUMNIA Und um dich werden Legenden sich bilden: Eigentlich war er dagegen. Vielmehr dafür, eigentlich. Gesprochen hat er so, aber sein Herz war – wo eigentlich? Beliebig wird man dich deuten: Ein zynischer Opportunist; ein Idealist üblicher Machart; er dachte nur ans Theater; er schrieb und dachte fürs Volk. Für welches? Mache dich deutlich. Eck an oder paß dich an. Und schreibe verzahnt, daß jene, die kürzen wollen, den Ansatz nicht finden.

CHEF Niemand wird wagen, Zensur zu üben.

VOLUMNIA Sei nicht kindisch. Ich weiß, du rechnest mit Strichen.

ERWIN Ja, selbst ungekürzt liest sich das dürftig. Bist wirklich du der Verfasser? Dürftig und peinlich zugleich.

CHEF Und dem Gegenstand angemessen. Soll ich schreiben: Glückwünsche ihnen, den verdienten Mördern des Volkes? Oder Glückwünsche ihnen, den unwissenden Überlebenden eines dürftigen Aufstandes? Und welcher Glückwunsch erreicht die Toten? – Ich, nur kleiner, verlegener Worte mächtig, schaute dem zu. Maurer, Eisenbahner, Schweißer und Kabelwickler blieben allein. Hausfrauen wollten nicht abseits stehen. Sogar Volkspolizisten schnallten die Koppel ab. Das Standgericht ist ihnen gewiß. Aufstocken wird man die Zuchthäuser in unserem Lager. – Aber auch drüben wird sich die Lüge amtlich geben. Der Heuchelei Gesicht wird Trauerfalten üben. Mein voreiliges Auge sieht nationale Lappen auf Halbmast fallen. Der Redner Chor, ich höre, wird so lange aus dem Wort Freiheit schöpfen, bis es leergelöffelt ist. Jahre am Schnürchen stolpern dahin. Und nachdem man es zehn-, elfmal gezupft haben wird, das feierliche Kalenderblatt, wird man im Suff begehen den Siebzehnten, wie in meiner Jugend den Sedanstag. Satt ins Grüne ziehen seh ich im Westen ein Volk. Was übrigbleibt:

Leergefeierte Flaschen, Butterbrotpapier, Bierleichen und richtige Leichen; denn an Feiertagen fordert der Verkehr ein Übersoll an Opfern. – Hier jedoch werden die Zuchthäuser nach elf, zwölf Jahren die Wrackteile dieses Aufstandes ausspeien. Die Anklage wird umhergehen. Viele Pakete Schuld wird sie adressieren und abschicken. Unser Paket ist schon da. *Er übergibt Original und Kopie an seine Assistentin Litthenner und Podulla.* Seid so gut und spielt mir die Boten. Das Original zum Sitz des Zentralkomitees; die Kopie sollte bei Freunden im Westen sicher liegen.

PODULLA Chef, man wird höhnen, wir tragen auf beiden Schultern.

CHEF Antwortet: Da wir zwei haben, nutzen wir jede.

Dieses deutsche Trauerspiel – »Die Plebjer proben den Aufstand« – lag, als es im Januar 1966 im Berliner Schillertheater uraufgeführt wurde, der Kritik in Ost und West quer. Dort als »konterrevolutionär«, hier als »Anti-Brecht-Stück« abgefertigt, war es bald von den Bühnen verschwunden. Durch die gegenwärtige revolutionäre Entwicklung bestätigt, nimmt sich der Autor das Recht, auf die Langlebigkeit seiner »Plebejer« zu setzen.

Doch habe ich vorgegriffen. Der fünfundzwanzigjährige Augenzeuge des 17. Juni 1953 war noch nicht soweit, direkt schreibend zu reagieren; Vergangenes, Verluste, seine Herkunft, Scham hingen ihm an. Und erst drei Jahre später, als ich von Berlin nach Paris zog, fanden sich – aus Distanz zu Deutschland – Sprache und Atem, um auf tausendfünfhundert Seiten in Prosa das zu schreiben, was mir trotz und nach Auschwitz notwendig war. Angetrieben von berufsspezifischer Vermessenheit, befördert durch anhaltende Schreibwut, ohne Unterbrechung, wenn auch in mehreren Fassungen, so entstanden in Paris, dann, nach meiner Rückkehr ab 1960 in Berlin, die Bücher »Die Blechtrommel«, »Katz und Maus« und »Hundejahre«.

Kein Schriftsteller, behaupte ich, kann ganz allein aus sich einen epischen Entwurf wagen, ohne angestoßen, provoziert, von außen in solch unübersehbare Geröllhalden verlockt zu werden. In Köln, auf der Durchreise, war es Paul Schallück, der mich anstieß, Prosa zu schreiben; provoziert hat mich die damals gängige, ja, regierungsamtliche Dämonisierung der Zeit des Nationalsozialismus – hell ausleuchten, ans Tageslicht bringen wollte ich das Verbrechen –; und verlockt, nach Rückfällen dennoch weiterzumachen, hat mich ein schwieriger, kaum zugänglicher Freund: Paul Celan, der eher als ich begriff, daß es mit dem ersten Buch und seinen siebenhundertdreißig galoppierenden Seiten nicht getan sein könne, daß vielmehr der profanen epischen Zwiebel Haut nach Haut abgezogen werden müsse und daß ich von solchem Unterfangen nicht Urlaub nehmen dürfe. Er machte mir Mut, fiktive Gestalten wie Fajngold, Sigismund Markus und Eddi Amsel, keine edlen, sondern gewöhnliche und exzentrische Juden in meine kleinbürgerliche Romanwelt zu fügen.

Wieso Paul Celan, dem gegen Ende der fünfziger Jahre die Wörter immer knapper wurden und dessen Sprache und Existenz auf Engführung hinausliefen? Ich weiß es nicht. Heute meine ich zu wissen, daß er, der Überlebende, sein Überleben nach Auschwitz kaum noch tragen, schließlich nicht mehr ertragen konnte.

Ich verdanke Paul Celan viel: Anregung, Widerspruch, den Begriff von Einsamkeit, aber auch die Erkenntnis, daß Auschwitz kein Ende hat. Seine Hilfe kam nie direkt, sondern verschenkte sich in Nebensätzen, etwa auf Spaziergängen in Parkanlagen. Mehr als auf die »Blechtrommel« hat sich Paul Celans Zuspruch und Dreinrede auf den Roman »Hundejahre« ausgewirkt, etwa zu Beginn des Schlußmärchens vor Ende des zweiten Teils, sobald sich neben der Flakbatterie Kaiserhafen ein Knochenberg türmt, den das bei Danzig gelegene Konzentrationslager Stutthof speist:

Es war einmal ein Mädchen, das hieß Tulla und hatte eine reine Kinderstirn. Aber nichts ist rein. Auch der Schnee ist nicht rein. Keine Jungfrau ist rein. Selbst das Schwein ist nicht rein. Der Teufel nie ganz rein. Kein Tönchen steigt rein. Jede Geige weiß es. Jeder Stern klirrt es. Jedes Messer schält es: auch die Kartoffel ist nicht rein: sie hat Augen, die müssen gestochen werden.

Aber das Salz? Salz ist rein! Nichts, auch das Salz ist nicht rein. Nur auf Tüten steht: Salz ist rein. Lagert doch ab. Was lagert mit? Wird doch gewaschen. Nichts wäscht sich rein. Doch die Grundstoffe: rein? Sind steril, doch nicht rein. Die Idee, die bleibt rein. Selbst anfangs nicht rein. Jesus Christus nicht rein. Marx Engels nicht rein. Die Asche nicht rein. Und die Hostie nicht rein. Kein Gedanke hält rein. Auch die Kunst blüht nicht rein. Und die Sonne hat Flecken. Alle Genien menstruieren. Auf dem Schmerz schwimmt Gelächter. Tief im Brüllen hockt Schweigen. In den Ecken lehnen Zirkel. – Doch der Kreis, der ist rein!

Kein Kreis schließt sich rein. Denn wenn der Kreis rein ist, dann ist auch der Schnee rein, ist die Jungfrau, sind die Schweine, Jesus Christus, Marx und Engels, leichte Asche, alle Schmerzen, das Gelächter, links das Brüllen, rechts das Schweigen, die Gedanken makellose, die Oblaten nicht mehr Bluter und die Genien ohne Ausfluß, alle Ecken reine Ecken, gläubig Zirkel schlügen Kreise; rein und menschlich, schweinisch, salzig, teuflisch, christlich und marxistisch, lachend, brüllend, wiederkäuend, schweigend, heilig, rund rein eckig. Und die Knochen, weiße Berge, die geschichtet wurden neulich, wüchsen reinlich ohne Krähen: Pyramidenherrlichkeit. Doch die Krähen, die nicht rein sind, knarrten ungeölt schon gestern: nichts ist rein, kein Kreis, kein Knochen. Und die Berge, hergestellte, um die Reinlichkeit zu türmen, werden schmelzen kochen sieden, damit Seife, rein und billig; doch selbst Seife wäscht nicht rein.

Mit dem Roman »Hundejahre«, der – ich weiß nicht, warum, im Schatten der »Blechtrommel« seine Sperrigkeit beweisen muß und nicht nur deshalb dem Autor nah geblieben ist, war vorläufig meine Prosaarbeit beendet. Nicht daß ich erschöpft war, doch glaubte ich voreilig, mich von etwas freigeschrieben zu haben, das nun hinter mir zu liegen hatte, zwar nicht abgetan, aber doch zu Ende gebracht.

Als mir im Sommer des letzten Jahres ein Auftrag des Hessischen Rundfunks Gelegenheit gab, in Göttingen vor Publikum die gesamte »Blechtrommel« an zwölf Abenden zu lesen, bot sich, neben der freiwilligen Anstrengung, wiederlesend das Vergnügen, mir als jungem Schriftsteller über die Schulter zu schauen: wie er den Grundgedanken eines nie geschriebenen Theaterstücks zum Epilog der Polnischen Post, zum Kartenhauskapitel abwandelte; wann zum ersten Mal das Wort Brausepulver erinnert werden wollte; welchen Parisbesuchern er Blechtrommel-Kapitel in erster Fassung vorgelesen hat: immer wieder Walter Höllerer; und wie wenig ihn die periodischen Totsagungen des Romans kümmerten.

Dreißig Jahre später läßt sich leicht sagen: danach wurde alles schwieriger. Durch sich selbst gelangweilt, stand der Ruhm im Wege. Freundschaften wurden brüchig. Immer erwartungsträchtige Kritiker bestanden darauf, daß Danzig, einzig Danzig samt flachem und gehügeltem Umland mein Thema sein dürfe. Sobald ich mich, sei es mit dem Theaterstück »Die Plebejer proben den Aufstand«, sei es abermals mit Prosa – »Örtlich betäubt« und »Aus dem Tagebuch einer Schnecke« – der Gegenwart, gar einem bundesdeutschen Wahlkampf bis ins provinzielle Detail zuwendete und mich überdies als Bürger politisch engagierte, war das Urteil fixfertig: Er sollte lieber bei Danzig und seinen Kaschuben bleiben. Die Politik hat bisher jedem Autor nur Schaden gebracht. Das wußte schon Goethe. Und weitere Ermahnungen schulmeisterlicher Art.

Doch dem Schreiben nach Auschwitz war und ist so fürsorglich nicht beizukommen. Die Vergangenheit wirft ihren Schlagschatten auf gegenwärtiges und zukünftiges Gelände. »Vergegenkunft« nannte ich später meinen Zeitbegriff, der im »Tagebuch einer Schnecke» zu erproben war. Angeregt durch Heines Fragment »Der Rabbi von Bacherach«, sollte einerseits die Geschichte der Danziger Synagogengemeinde bis zu ihrer Vernichtung beschrieben, also wiederum Vergangenheit eingeholt werden, andererseits war ich gegenwärtig unterwegs: den Wahlkampf 1969 belastete eine Übereinkunft, nach der ein ehemaliger Nationalsozialist als Bundeskanzler der Großen Koalition erträglich sein sollte; und auf dritter Erzählebene mußten Bausteine für einen Essay über Albrecht Dürers Kupferstich »Melencolia I« gesucht werden: »Vom Stillstand im Fortschritt«. Die Form dieses in allen drei Zeiten gegenwärtigen Tagebuchs wurde durch die Fragen meiner Kinder bestimmt:

»Und wohin willste morgen schon wieder?«
»Nach Castrop-Rauxel.«
»Und was machste denn da?«
»Redenreden.«
»Immer noch Espede?«
»Fängt ja erst an.«
»Und was bringste mit diesmal?«
»Teilweise mich ...«
... und die Frage, warum die Tapete nicht dichthalten wollte. (Was mit den Kutteln hochkommt und den Gaumen mit Talg belegt.)

Denn manchmal, Kinder, beim Essen, oder wenn das Fernsehen ein Wort (über Biafra) abwirft, höre ich Franz oder Raoul nach den Juden fragen:
»Was war denn los mit denen?«
Ihr merkt, daß ich stocke, sobald ich verkürze. Ich finde das Nadelöhr nicht und beginne zu plaudern: Weil das und zuvor das, während gleichzeitig das, nachdem auch noch das ...
Schneller, als sie nachwachsen, versuche ich Faktenwälder zu lichten. Löcher ins Eis schlagen und offenhalten. Den Riß nicht vernähen. Keine Sprünge dulden, mit deren Hilfe die Geschichte, ein schneckenbewohntes Gelände, leichthin verlassen werden soll ...
»Wie viele waren das denn genau?«
»Und wie hat man die gezählt?«
Es war falsch, euch das Ergebnis, die vielstellige Zahl zu nennen. Es war falsch, den Mechanismus zu beziffern; denn das perfekte Töten macht hungrig nach technischen Details und löst Fragen nach Pannen aus.
»Hat das denn immer geklappt?«
»Und was war das für Gas?«
Bildbände und Dokumente. Antifaschistische Mahnmale, gebaut in stalinistischem Stil. Sühnezeichen und Wochen der Brüderlichkeit. Gleitfähige Worte der Versöhnung. Putzmittel und Gebrauchslyrik: »Als es Nacht wurde über Deutschland ...«
Jetzt erzähle ich euch (solange der Wahlkampf dauert

und Kiesinger Kanzler ist), wie es bei mir zu Hause langsam und umständlich am hellen Tag dazu kam. Die Vorbereitung des allgemeinen Verbrechens begann an vielen Orten gleichzeitig, wenn auch nicht gleichmäßig schnell; in Danzig, das vor Kriegsbeginn nicht zum Deutschen Reich gehörte, verzögerten sich die Vorgänge: zum Mitschreiben für später ...

In diesem Buch, das 1972 erschien, steht, weil die Definition meines Berufes erfragt wird, die Antwort: »Ein Schriftsteller, Kinder, ist jemand, der gegen die verstreichende Zeit schreibt.« – Eine so akzeptierte Schreibhaltung setzt voraus, daß sich der Autor nicht als abgehoben oder in Zeitlosigkeit verkapselt, sondern als Zeitgenosse sieht, mehr noch, daß er sich den Wechselfällen verstreichender Zeit aussetzt, sich einmischt und Partei ergreift. Die Gefahren solcher Einmischung und Parteinahme sind bekannt: die dem Schriftsteller gemäße Distanz droht verlorenzugehen; seine Sprache sieht sich versucht, von der Hand in den Mund zu leben; die Enge jeweils gegenwärtiger Verhältnisse kann auch ihn und seine auf Freilauf trainierte Vorstellungskraft einengen, er läuft Gefahr, in Kurzatmigkeit zu geraten.
Wohl deshalb, weil mir die Risiken meiner erklärten Zeitgenossenschaft bewußt waren, entwarf ich schon während der ersten Niederschrift des Schneckentage-

buches, noch unterwegs auf Wahlkampfreise, beim Redenreden – und während ich mir beim Reden zuhörte – wie insgeheim, oder hinter dem eigenen Rükken, ein anderes Buch, ein Buch, das erlaubte, Geschichte rückläufig abzuspulen und die Sprache in die Schule des Märchens zu schicken. Es sollte wieder einmal ums Ganze gehen. Als hätte ich mich von der Schnecke und von der programmatischen Langsamkeit meiner Schneckenpartei erholen wollen, begann ich, kaum war das Tagebuch erschienen und abermals ein Wahlkampf bis zur ersten Hochrechnung ausgekostet, mit den Vorarbeiten für einen epischen Wälzer: »Der Butt«.

Hat dieses Buch mit meinem Thema »Schreiben nach Auschwitz« zu tun? Es geht um Nahrung: vom Hirsebrei bis zum Sülzkotelett. Es geht um Überfluß und Mangel, um das große Fressen und den anhaltenden Hunger. Um neun und mehr Köchinnen geht es und um die andere Wahrheit des Märchens »Von dem Fischer un syner Fru«: wie des Mannes Herrschaft immer mehr haben, immer schneller sein, immer höher hinaus will, wie der Mann sich Endziele setzt, die Endlösung beschließt, »Am Ende« ist; so heißt eines der Gedichte, die im »Butt« den Prosaablauf hemmen, kurzfassen oder auf ein anderes Gleis bringen:

AM ENDE

Männer, die mit bekanntem Ausdruck
zu Ende denken,
schon immer zu Ende gedacht haben;
Männer, denen nicht Ziele – womöglich mögliche –
sondern das Endziel – die entsorgte Gesellschaft –
hinter Massengräbern den Pflock gesteckt hat;
Männer, die aus der Summe datierter Niederlagen
nur einen Schluß ziehen: den rauchverhangenen
  Endsieg
auf gründlich verbrannter Erde;
Männer, wie sie auf einer der täglichen Konferenzen,
nachdem sich das Gröbste als technisch machbar
  erwies,
die Endlösung beschließen,
sachlich männlich beschlossen haben;
Männer mit Überblick,
denen Bedeutung nachläuft,
große verstiegene Männer,
die niemand, kein warmer Pantoffel
hat halten können,
Männer mit steiler Idee, der Taten platt folgten,
sind endlich – fragen wir uns – am Ende?

Spätestens hier merke ich, daß mich das Thema meines Vortrags immer wieder und auch dann zur Rechenschaft zwingen will, wenn eine Erzählung, wie etwa »Das Treffen in Telgte«, für sich spricht. Die Rückdatierung der »Gruppe 47«, jenes literarischen Nichtvereins, dem ich viel verdanke, ließ sich zwanglos bis spielerisch ins Werk setzen; anders verhielt es sich mit einem Buch, das Orwells Jahrzehnt, die achtziger Jahre einläuten sollte: »Kopfgeburten oder Die Deutschen sterben aus«. Wie schon beim »Butt«, im Kapitel »Vasco kehrt wieder«, ist nicht mehr Europa, auch nicht das doppelte Deutschland und ganz gewiß nicht Danzig – Gdánsk das Maß aller Dinge, vielmehr sind es die immer schneller wachsende und in wachsendem Elend kümmernde Bevölkerung Asiens und das sogenannte Nord-Süd-Gefälle, die Druck machen und den erzählenden Text zu utopischen Sprüngen nötigen. Denn von China, Indonesien und Indien aus gesehen, schrumpft der alte Kontinent auf Spielzeuggröße, gibt die »Deutsche Frage« endlich ihre Drittrangigkeit preis und wird das ertrotzte Schreiben nach Auschwitz abermals oder zusätzlich fragwürdig.

Wo noch kann Literatur ihren Auslauf finden, wenn die Zukunft schon vordatiert und von statistischen Schreckensbilanzen besetzt ist? Was ist noch zu erzählen, wenn die Fähigkeit des Menschengeschlechts, sich selbst und alles andere Leben auf vielfältige Weise zu vernichten, täglich unter Beweis gestellt werden könnte oder in Planspielen geübt wird? Sonst nichts, doch die atomare, stündlich mögliche Selbstvernichtung verhält sich zu Auschwitz und erweitert die Endlösung auf globales Maß.

Wer als Schriftsteller zu diesem Schluß kommt – und ab Anfang der achtziger Jahre bestätigte neuerlich Wettrüsten diese Folgerung –, der wird entweder das Schweigen zur Schreibdisziplin erheben müssen oder aber – und ich begann nach drei Jahren Enthaltsamkeit wieder an einem Manuskript zu arbeiten –, auch dieses Menschenmögliche, die Selbstvernichtung, zu benennen versuchen.

»Die Rättin«, ein Buch, in dem »mir träumte, ich müßte Abschied nehmen ...«, war ein Versuch, das beschädigte Projekt der Aufklärung erzählend fortzuschreiben. Doch der Zeitgeist und mit ihm das hochdotierte Geplapper eines Kulturbetriebs, der an sich selbst Genüge findet, war nicht zu irritieren. Einander vom Markt drängende Kunstmessen, überinszeniertes Regietheater und die Gigantomanie neuerdings kunstbeflissener Landesfürsten sind Kennzeichen der achtziger Jahre. Die unterhaltsame Geschäftigkeit des Mittelmaßes und deren Talkmaster, die sich den Freibrief »Alles ist möglich« ausstellten, doch die Pause, als Wagnis erschreckten Innehaltens, nicht mehr zuließen, diese dynamische Besinnungslosigkeit geriet erst dann ins Stolpern, als sich jenseits der zweifach gesicherten Wohlstandsgrenze die Völker Ost- und Mitteleuropas nacheinander erhoben und altmodischen Wörtern wie Solidarität und Freiheit neuen Sinn gaben.

Seitdem ist etwas geschehen. Gemessen an dieser Anstrengung, steht der Westen nackt da. Der Ruf drüben »Wir sind das Volk!« fand hier keine Entsprechung. Wir sind schon frei, hieß es. Wir haben schon alles, nur noch die Einheit fehlt. – Und schon schlägt, was gestern Hoffnung machte und Europa erkennen ließ, in deutsches Begehren um. Wieder einmal soll es das »ganze Deutschland« sein.

Indem ich meinen Vortrag unter die lastende Überschrift »Schreiben nach Auschwitz« stellte, sodann literarische Bilanz zog, will ich zum Schluß die Zäsur, den Zivilisationsbruch Auschwitz dem deutschen Verlangen nach Wiedervereinigung konfrontieren. Gegen jeden aus Stimmung, durch Stimmungsmache forcierten Trend, gegen die Kaufkraft der westdeutschen Wirtschaft – für harte DM ist sogar Einheit zu haben –, ja, auch gegen ein Selbstbestimmungsrecht, das anderen Völkern ungeteilt zusteht, gegen all das spricht Auschwitz, weil eine der Voraussetzungen für das Ungeheure, neben anderen älteren Triebkräften, ein starkes, das geeinte Deutschland gewesen ist.

Nicht Preußen, nicht Bayern, selbst Österreich nicht,

hätten, einzig aus sich heraus, die Methode und den Willen des organisierten Völkermordes entwickeln und vollstrecken können; das ganze Deutschland mußte es sein. Allen Grund haben wir, uns vor uns als handlungsfähige Einheit zu fürchten. Nichts, kein noch so idyllisch koloriertes Nationalgefühl, auch keine Beteuerung nachgeborener Gutwilligkeit können diese Erfahrung, die wir als Täter, die Opfer mit uns als geeinte Deutsche gemacht haben, relativieren oder gar leichtfertig aufheben. Wir kommen an Auschwitz nicht vorbei. Wir sollten, sosehr es uns drängt, einen solchen Gewaltakt auch nicht versuchen, weil Auschwitz zu uns gehört, bleibendes Brandmal unserer Geschichte ist und – als Gewinn! – eine Einsicht möglich gemacht hat, die heißen könnte: jetzt endlich kennen wir uns.

Auch das Nachdenken über Deutschland ist Teil meiner literarischen Arbeit. Seit Mitte der sechziger Jahre bis in die gegenwärtig anhaltende Unruhe hinein gab es Anlässe für Reden und Aufsätze. Oft waren diese notwendig deutlichen Hinweise meinen Zeitgenossen zuviel der Einmischung, der, wie sie meinten, außerliterarischen Dreinrede. Das sind nicht meine Besorgnisse. Eher bleibt Ungenügen nach fünfunddreißig Jahren Bilanz. Etwas, das noch nicht zu Wort kam, muß gesagt werden. Eine alte Geschichte will ganz anders erzählt werden. Vielleicht gelingen noch die zwei

Zeilen. So wird meine Rede zwar ihren Punkt finden müssen, doch dem Schreiben nach Auschwitz kann kein Ende versprochen werden, es sei denn, das Menschengeschlecht gäbe sich auf.

Günter Grass

im Luchterhand Literaturverlag

Aus dem Tagebuch einer Schnecke
368 Seiten. Gebunden

Ausgefragt
Gedichte und Zeichnungen
105 Seiten. Gebunden

Die Blechtrommel
Roman. 724 Seiten. Gebunden

Der Butt
Roman. 648 Seiten. Leinen
Luchterhand Bibliothek

Gleisdreieck
Gedichte und Zeichnungen
112 Seiten. Broschur

Hundejahre
Roman. 682 Seiten. Gebunden

Katz und Maus
Eine Novelle. 180 Seiten. Gebunden

**Kopfgeburten oder
Die Deutschen sterben aus**
180 Seiten. Gebunden

örtlich betäubt
Roman. 358 Seiten. Gebunden

Die Plebejer proben den Aufstand
Ein deutsches Trauerspiel
Luchterhand Theater
112 Seiten. Broschur

Die Rättin
512 Seiten. Gebunden

Das Treffen in Telgte
Eine Erzählung
184 Seiten. Gebunden

Die Vorzüge der Windhühner
Gedichte, Prosa und Zeichnungen
64 Seiten. Englische Broschur

Zunge zeigen
Mit 56 Zeichnungen
240 Seiten. Gebunden
Ein Tagebuch in Zeichnungen, Prosa und einem Gedicht.
»*Zunge zeigen* kommt der Wahrheit dessen, worum es hier geht, der Wahrheit des menschlichen Elends in der außerhalb der Wohlstandsinseln galoppierend vorkommenden sogenannten Dritten Welt literarisch und künstlerisch so nahe wie kein anderes mir bekanntes Werk. ... Was Grass als ›letztmögliche Schönheit‹ bezeichnet, das ist Zeichen der Menschlichkeit, der Würde noch der Elendesten. Dies zu erkennen und auszusprechen und für sich selbst sprechen zu lassen, ist etwas ganz anderes als Ästhetisierung. Auch hieraus, vor allem hieraus begründet Grass seine ›ungerufene Liebe zu dieser Stadt, die verflucht ist, jedem menschlichen Elend Quartier zu bieten‹.«
Heinrich Vormweg

Günter Grass

in der Sammlung Luchterhand

Ach Butt, dein Märchen geht böse aus
Gedichte und Radierungen
Bildbuch
SL 470
Dieser Band sammelt Gedichte aus dem *Butt*, unveröffentlichte Gedichte aus der Zeit der Entstehung des *Butt* sowie korrespondierende Radierungen.

Aus dem Tagebuch einer Schnecke
SL 310

Die Blechtrommel
Roman. (Danziger Trilogie 1)
SL 147

Der Butt
Roman. SL 650
»Ein Liebesroman ... zugleich aber eine Kultur- und Küchengeschichte der Ernährung.« Rolf Michaelis, *Die Zeit*

Deutscher Lastenausgleich
Wider das dumpfe Einheitsgebot
Reden und Gespräche
SL 921
Niemand hat sich so frühzeitig und entschieden zu dem politischen Tagesthema »Konföderation oder Wiedervereinigung« geäußert wie Günter Grass.

Die Gedichte
1955–1986
Hg. von Volker Neuhaus
SL 754

Hundejahre
Roman. (Danziger Trilogie 3)
SL 149

Katz und Maus
Eine Novelle (Danziger Trilogie 2)
SL 148

Kopfgeburten oder Die Deutschen sterben aus
SL 356

örtlich betäubt
Roman
SL 195

Das Treffen in Telgte
Eine Erzählung und dreiundvierzig Gedichte aus dem Barock
SL 558
Diese Ausgabe enthält einen Anhang mit Gedichten all jener Barockpoeten, die in der Erzählung auftreten.

Wortindex zur »Blechtrommel«
von Günter Grass
Hg. von Franz Josef Görtz, Randall L. Jones und Alan F. Keele
SL 871
Das vollständige Vokabular der »Blechtrommel«. Eine Lese- und Interpretationshilfe.

Françoise Giroud/ Günter Grass
Wenn wir von Europa sprechen
Ein Dialog
SL 835

Günter Grass

im Luchterhand Literaturverlag

Zunge zeigen
240 Seiten mit 56 Abb. Gebunden

»Noch war das Buch kaum erschienen, da wurde es schon von einigen tonangebenden Meinungsbildnern so drastisch abqualifiziert oder doch in Frage gestellt, daß einem die Lust verging, sich auf dieses *Zunge zeigen* einzulassen. . . . Ich erwähne das, weil es schon jetzt zur Geschichte des Buches gehört, daß es sich – wenn überhaupt – gegen einen seit dem Roman *Die Rättin* umgehenden, geschickt erzeugten . . . zähen öffentlichen Widerwillen behaupten muß, in dem die Intention und der Ertrag der Grass'schen Reise nach Kalkutta sich ins Kleinliche und Fragwürdige entstellen. Es lohnt sich, das so wirkungsvoll lancierte Vorurteil zu überprüfen – es stimmt hinten und vorn nicht. *Zunge zeigen* kommt der Wahrheit dessen, worum es hier geht, der Wahrheit des menschlichen Elends in der außerhalb der Wohlstandsinseln galoppierend verkommenden sogenannten Dritten Welt literarisch und künstlerisch so nahe wie kein anderes mir bekanntes Werk. . . . Was Grass als ›letztmögliche Schönheit‹ bezeichnet, das ist Zeichen der Menschlichkeit, der Würde noch der Elendesten. Dies zu erkennen und auszusprechen und für sich selbst sprechen zu lassen, ist etwas ganz anderes als Ästhetisierung. Auch hieraus, vor allem hieraus begründet Grass seine ›ungerufene Liebe zu dieser Stadt, die verflucht ist, jedem menschlichen Elend Quartier zu bieten‹.«
Heinrich Vormweg

Foto: Ute Grass

Die Werkausgabe von Günter Grass

im Luchterhand Literaturverlag

Werkausgabe in zehn Bänden
Hg. von Volker Neuhaus
6476 Seiten
Broschierte Ausgabe im Schuber
Leinenausgabe im Schuber

Band I
Gedichte und Kurzprosa

Band II
Die Blechtrommel

Band III
Katz und Maus / Hundejahre

Band IV
örtlich betäubt
Aus dem Tagebuch einer Schnecke

Band V
Der Butt

Band VI
Das Treffen in Telgte / Kopfgeburten oder Die Deutschen sterben aus

Band VII
Die Rättin

Band VIII
Theaterspiele

Band IX
Essays Reden Briefe Kommentare

Band X
Gespräche mit Günter Grass

»Insgesamt ist diese Werkausgabe nicht nur ein Editions-Ereignis, sondern bietet auch – und gerade – wegen ihrer zahlreichen Kommentierungen und Sacherklärungen zu Personen, Ereignissen und kulturellen Vorgängen ein historisch höchst aufschlußreiches literarisch-politisches Bild aus 40 Jahren Bundesrepublik.« *Stuttgarter Nachrichten*